ENSAIO SOBRE A

COZINHA AFETIVA

Jane M. G. Lutti

ENSAIO SOBRE A

COZINHA AFETIVA

Coordenação editorial
Pamela Oliveira

Assistência editorial
Larissa Robbi Ribeiro

Preparação e Revisão
Ludmilla Santos
Thiago Lutti
Daniela Georgeto

Projeto gráfico e diagramação
Lucas Matos | GastrôLité
Amanda Chagas

Capa
Jane M. G. Lutti | GastrôLité

Fotografia
Marcus Steinmeyer

Ilustração da capa
Shutterstock

Imagens de miolo
Shutterstock
FreePik
Canva

Dados Internacionais de Catalogação na Publicação (CIP)
Jéssica de Oliveira Molinari - CRB-8/9852

Lutti, Jane M. G.
Ensaio sobre a cozinha afetiva / Jane M. G. Lutti. — São Paulo : Labrador, 2021.
112 p.

ISBN 978-65-5625-154-7

1. Gastronomia 2. Culinária 3. Afeto (Psicologia) I. Título

21-2608 CDD 641.5

Índice para catálogo sistemático:
1. Gastronomia

3ª reimpressão — 2024

Labrador

Editora Labrador
Diretor editorial: Daniel Pinsky
Rua Dr. José Elias, 520 — Alto da Lapa
05083-030 — São Paulo/SP
+55 (11) 3641-7446
contato@editoralabrador.com.br
www.editoralabrador.com.br
facebook.com/editoralabrador
instagram.com/editoralabrador

Dedicatória

À turma de Jornalismo Gastronômico de 2016 da Faculdades Integradas Hélio Alonso – FACHA e à mestra Juliana Dias, que fizeram meus sábados mais saborosos naquele ano, engordaram minhas expectativas sobre os saberes culinários e me incentivaram – com suas histórias pessoais – a ampliar a discussão sobre a escrita afetiva culinária.

Agradecimento

A Jorge, sempre à frente de minhas mesas e projetos.

Índice

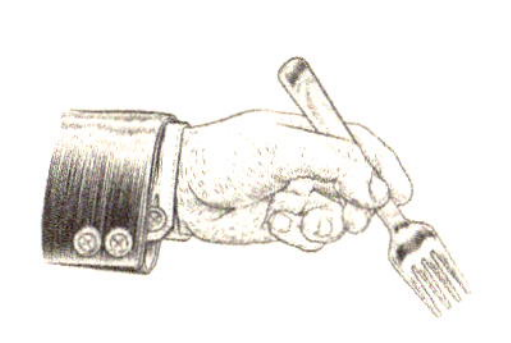

Amuse-bouche *literário*

Não encontrei a culinária de papel.

Foi ela quem me encontrou. Invadiu-me sem convite o coração, apoderou-se de um momento frágil de minha alma – um luto – e, mesmo sem ter sido convidada, acolheu-me. Nutriu-me de lembranças e temperos que deram cheiro e gosto a uma memória que me ajudaria na catarse da despedida.

Naquele momento, o ímpeto imemorial da alimentação fundiu-se ao ímpeto pessoal da escrita e levou-me a reproduzir essas sensações em linhas, receitas, saberes e lembranças.

Começava assim o meu estudo sobre Culinária Afetiva, termo já popularizado, porém, até então pouco explorado e reduzido a livros de receitas antigas. Um pálido retrato de uma expressão que, aos meus olhos, poderia ter mais significado e riqueza se expandida e elaborada.

Dediquei-me então a explorar e ampliar a terminologia "Culinária Afetiva", ressaltando, assim, a importância da cultura alimentar doméstica e seu impacto na nossa formação.

Em entrevistas e pesquisas, deparei-me com áreas cujas premissas não me levariam de imediato a pesquisar a afetividade culinária, tais como: Antropologia, Psicologia, Filosofia, Sociologia, Economia e Nutrição.

Dessa maneira, tive acesso a uma infinidade de entendimentos acerca de nossos hábitos, mas, acima de tudo, de modos possíveis de traduzir minha própria vida e meus anseios – agora temperados por saberes diversos. E mais ainda, notei que isso não era um traço somente meu.

**Falar sobre Culinária Afetiva
e entender esse hábito
diz muito sobre
qualquer pessoa, seus
caminhos, sua psique e,
ouso dizer,
até mesmo sobre o futuro.**

Sendo assim, trago, neste ensaio, o que colhi e sistematizei ao longo de pesquisas, cafés, prosas, taças de vinho, artigos e panelaços, elementos importantes para (re)construir e (res)significar o que aqui denomino como Culinária Afetiva.

Olhar para mim pelas lentes da gastronomia foi um exercício de construção cultural e de entendimento do meu lugar em um delicado ecossistema que abrange comunidades interiores e exteriores.

Não se espante se no decorrer da leitura você se pegar filosofando sobre questões de sua vida após resgatar a caçarola e os molhos de seus avós, ou, ainda, depois de provar algo aos 60 anos pela primeira vez.

Você pode descobrir – ou trazer ao consciente – um universo de conexões saborosas que fizeram e continuarão fazendo parte de sua construção cultural e psíquica até o último dia de sua vida.

Afinal, enquanto você se alimentar, haverá memória.

Um grande abraço e obrigada pela leitura!

Jane Lutti
Campinas, 24 de fevereiro de 2021

Entrada

A comida e o comer assumem um papel central em nosso aprendizado e evolução ao longo da história. O hábito e a necessidade básica primitiva que serão repetidos ao longo de toda a nossa vida deixam claro que evoluíram e continuam evoluindo conforme o tempo, mostrando-se como protagonistas na formação de nosso ser.

O ato de comer engloba aspectos tangíveis e intangíveis que expressam fatores emocionais e racionais, psicológicos e sociais, instintivos e culturais, econômicos e de subsistência dos sujeitos.

Em seu artigo sobre Comida e Antropologia, o antropólogo americano Sidney W. Mintz cunhou uma definição que serviu como base para elucidar e sistematizar este ensaio: "os adultos afetivamente poderosos" são responsáveis por nossas atitudes em relação à comida, uma vez que estas são normalmente aprendidas cedo, conferindo ao nosso comportamento um poder sentimental duradouro:

> *O comportamento relativo à comida revela repetidamente a cultura em que cada um está inserido. Nossos filhos são treinados de acordo com isso. O aprendizado que apresenta características como requinte pessoal, destreza manual, cooperação e compartilhamento, restrição e reciprocidade, é atribuído à socialização alimentar das crianças por sociedades diferentes. Os hábitos alimentares podem mudar inteiramente quando crescemos, mas a memória e o peso do primeiro aprendizado alimentar e algumas das formas sociais aprendidas através dele permanecem, talvez para sempre, em nossa consciência, como atesta a amada madeleine de Proust, o caso mais famoso. (MINTZ, 2001, p. 31)*

Para o autor, a comida é a base para nos relacionarmos com a realidade. Considerando que a comida "entra" em cada ser humano, Mintz descreve o ato como uma carga substanciosa, quase que moral, cuja função ultrapassa o aspecto nutricional, já que revela como nos relacionamos com nós mesmos e com o coletivo.

A partir dessa premissa, entendemos que o adjetivo "afetivo" para designar a comida/culinária amplia a percepção do ato de comer, tornando-o um ponto de partida para reflexões mais abrangentes sobre nós e o nosso entorno.

Os objetivos deste ensaio são, portanto, trazer ao debate mais informações e ampliar a expressão para que ela não seja confundida ou romantizada, uma vez que há um mundo de significados e significantes que traduzem a comida e o comer como centro de nossa tônica social e pessoal.

É, sobretudo, um ponto de partida para maiores e melhores elucidações sobre o tema, para que se amplie em especial o valor nutritivo imaterial das comidas que ingerimos. Se a necessidade de comer nos iguala, o sentido afetivo ressalta particularidades individuais e culturais.

O que é
Cozinha Afetiva?

Receitas e sabores nos imprimem memórias, registros mnemônicos capazes de fortalecer e fixar a imagem que se tem de uma determinada pessoa, circunstância ou acontecimento. Por isso, impactam, gravam, fortalecem, marcam, registram por meio do sabor e do momento.

É muito comum associarem a Culinária Afetiva somente ao passado, mas a verdade é que não paramos de produzir esses conteúdos mentais e psicológicos ao longo de nossa vida.

A culinária é afetiva quando a dinâmica que a cozinha instaura promove reflexões sobre suas relações, seu meio social, sua consciência nas escolhas cotidianas, impactando emocionalmente seu jeito de ver a vida e criando registros.

Falar sobre o tema é promover também uma discussão sobre as iniciativas que precisamos apoiar, abordando desde ações sociais contra a fome até nossas escolhas individuais, como a consciência acerca do que "colocamos no prato" a cada dia.

São muitas etapas e níveis de reflexão. Ela começa com a receita da avó, mas termina com você aprendendo algo valioso sobre si e sobre a sociedade em que vive. No mínimo, promove um pouco mais de consciência social.

Portanto, a Cozinha ou Culinária Afetiva vai além de um compartilhamento de receitas ou lembranças distantes. Ela promove um profundo pensar sobre si, uma epifania aliada a um forte apelo emocional – seja por acessar memórias passadas ou por "uma prova de sabores" que acontece, contextualmente, no presente.

O sabor, o gosto, é a "cola" que fixa o pensamento à emoção, à memória, à sensação e ao *input* gerado a partir da união de todo o contexto, resultando na fixação dessa memória.

Culinária Afetiva é a que *afeta*, tal como sugere a raiz etimológica da palavra, mas também causa *efeito*, modificando e adensando nossa relação com a comida.

Literatura e Cozinha Afetiva

Na literatura temos grandes passagens de escritores que usaram a culinária e suas receitas como lentes de perspectiva para ilustrar passagens de suas vidas. Ainda que não intencionalmente – ao menos acredita-se que não –, o saber culinário foi para grandes autores um viés de exploração do sentimento e um meio para narrar momentos culturais importantes.

A partir dos hábitos culinários narrados, podemos entender o contexto histórico, captar uma necessidade emocional do autor ou do personagem e compreender sua relação com a comida pelo modo como se descreve a cena.

Começamos pelo exemplo clássico de Marcel Proust ao falar das madeleines no romance *À la recherche du temps perdu*, passando pelas receitas brasileiras e cheias de doçura da goiana Cora Coralina, e aportando na obra da americana M. F. K. Fisher: suas descrições literárias da poesia, do momento, do personagem e outros pontos são quase que palatáveis quando envolvem o elemento culinário e imprimem muito mais autenticidade às narrativas.

Incluir o elemento culinário é tocar rapidamente o instinto mais primitivo do ser humano, a memória mais intrínseca acionada pelo estômago, e, ainda assim, conseguir fazer desse estímulo o fator catalisador de emoções e informações adjacentes da história.

Até mesmo a crítica ao ato de cozinhar (constantemente minimizado e associado ao trabalho doméstico e feminino) mostra seus traços afetivos e poderosos na formação e atuação do ser social.

A filósofa e intelectual francesa Simone de Beauvoir, por exemplo, podia não se dedicar à culinária, mas era clara a relação de exagero ou fome quando os assuntos eram as oscilações de amor e ódio em seus relacionamentos amorosos, familiares e também sua crítica aos prazeres burgueses, como sugere a escritora italiana Stefania Aphel Barzini, em seu livro *A cozinha das escritoras*, de 2011.

Simone não cozinhava e, apesar de não ser adepta desta atividade, atribuindo-lhe um olhar crítico, em seu livro *O segundo sexo* a feminista discorre que, "embora cozinhar seja opressor, pode também ser uma forma de revelação e criatividade, expressando, desta forma, a possibilidade de se experimentar um tipo especial de satisfação ao preparar um bom bolo ou massa folhada" (BEAUVOIR, 1980 apud BARZINI, 2011, p. 61).

Entre bilhetes, cartas e detalhes levantados por historiadores, vemos as nuances brutais e conflitantes sobre o papel da mulher na sociedade, vivido em dualidade pela própria Simone; ela era cobrada igualmente por habilidades que na época "engrossavam o caldo" do produto feminino oferecido culturalmente ao patriarcado.

Já a estadunidense Harriet Beecher Stowe, autora do clássico *A cabana do Pai Tomás* (*Uncle Tom's Cabin*), de 1851, usa a gastronomia como pano de fundo para narrar o sofrimento e as injustiças cometidas contra os negros durante a escravidão nos Estados Unidos em meados de 1850. Abolicionista, Stowe traz figuras secundárias que ganham *status* de protagonistas:

mulheres negras, cozinheiras e estrategistas. Todo o romance tem a culinária sulista como fio que tece a história.

Muitos *pound cakes*, muito milho, bacon, mostarda, pés de galinha, banha, *mint julep* e, não se engane, uma forte crítica à cultura escravocrata, atualíssima e contemporânea. Tanto que o romance – publicado, na verdade, em fascículos na revista *National Era* – ficou conhecido como um dos propulsores da Guerra Civil Americana. Sentada em sua cozinha, escrevendo sobre esse recorte, Stowe conseguiu influenciar a luta abolicionista e viveu para ver a derrota do Sul escravocrata e a abolição legal do cativeiro de africanos e seus descendentes nos Estados Unidos.

O livro, que conta a história de um escravizado humilde e temente a Deus, o velho Tomás, que viveu uma vida inteira em cativeiro sendo trocado por patrões, inspirou a obra homônima em forma de telenovela no Brasil, na rede Globo, em 1969-1970.

> *Pode parecer um argumento vulgar, mas eu creio que a saúde e a felicidade dependem da comida mais do que de qualquer outra coisa. Pode-se ter casas maravilhosas, muito limpas, belos quadros na parede, bela mobília e belos objetos, mas se o estômago for ofendido com pão dormido ou café queimado, ele se rebelará de uma forma tão violenta que os nossos olhos não serão mais capazes de perceber qualquer beleza. (STOWE, 1851 apud BARZINI, 2011, p. 171)*

Nota-se que a gastronomia na literatura produz uma imensa quantidade de vozes que falam sobre temas relevantes, usando a culinária nos arredores da narrativa para então chegar ao tema central. Mas, acima de tudo, o que a torna afetiva, emocional e visceral é que expõe, na verdade, o que há de mais intrínseco na alma dos escritores. Seja uma causa social, seja o conhecimento de si.

Cora Coralina, por exemplo, a doceira-poeta brasileira nascida no Estado de Goiás, traz no poema "Todas as Vidas" do livro *Poemas dos becos de goiás e estórias mais* uma fala sobre si poderosa, poética e lúcida. Descreve-se entre ingredientes, funções e fase, a psique forte e doce, em metáforas de alfenim e fogo que tocam a alma pela força das palavras bem posicionadas:

> *[...] Vive dentro de mim*
> *a mulher cozinheira.*
> *Pimenta e cebola.*
> *Quitute bem feito.*
> *Panela de barro.*
> *Taipa de lenha.*
> *Cozinha antiga*
> *toda pretinha.*
> *Bem cacheada de picumã.*
> *(CORALINA, 1965)*

Frequentemente, vemos nos textos ou trechos da literatura (seja na forma de poemas, artigos, textos curtos, crônicas ou mesmo volumes inteiros) a gastronomia ser usada como coadjuvante na narrativa, mas efetivamente funcionando como um meio de alavancar a crítica principal, manifestando, assim, a tônica psicológica do autor. Nesta situação, a culinária é um mecanismo seguro para dar voz e segurança ao pensamento que precisava ser materializado.

Afeto filosófico

Afeto/afetividade/afetar/afetivo

Para falar sobre culinária afetiva, o adjetivo é a chave para guiar o entendimento da expressão de maneira mais profunda e um pouco menos romantizada. Embora falemos sempre da culinária afetiva de forma doce e romântica, nem sempre o significado mais positivo e inocente da derivação "afetividade" se encaixa nos registros da memória culinária de um indivíduo.

A memória afetiva na culinária também pode ter registros de impactos não necessariamente amorosos e românticos, como prega a camada inicial do conceito. **Impactam do mesmo modo, mas não necessariamente da forma bela que se pintam as lembranças gastronômicas da infância ou de qualquer outra época da vida.**

Posto isso, faz-se necessário explicar a raiz etimológica das palavras e termos para que se amplie a compreensão da expressão.

Afeto e afetar derivam do latim *affectio*, "relação, disposição, estado temporário, amor, atração", da raiz de *AFFICERE*, "fazer algo, agir sobre, fazer, manejar (...)" (ORIGEM DA PALAVRA, 2021).

Afeto é a disposição de alguém por alguma coisa, seja positiva ou negativa. É a partir do afeto construído que se demonstram emoções ou sentimentos. Pode-se ter afeto por algo, uma pessoa, um objeto, uma ideia ou um lugar.

Na filosofia, Afeto (*em latim, affectus* ou *adfectus*) foi explorado por pensadores com contribuições absolutamente relevantes e importantes para nossa reflexão. Baruch Spinoza, Gilles Deleuze e Felix Guattari exploram esse sentimento ou estado da alma como mudanças ou modificações que ocorrem simultaneamente no corpo e na mente, concluindo que a maneira como somos afetados impacta em nossa vontade de agir, aumentando-a ou diminuindo-a.

Para Deleuze, "o afeto faz parte de uma ordem sensível, que se opõe à ideia de interpretação dos afetos em códigos sob os quais a realidade é remetida a uma narrativa lógica" (BARREIRO; CARVALHO & FURLAN, 2018, p. 519).

**Seres humanos
são animais, racionais
e... afetivos.
Porém, nós aprendemos
a deixar o afeto em segundo
plano para nos adaptarmos
à vida moderna.
Praticidade e produtividade
são colocadas acima
de qualquer traço
emocional nas atividades
cotidianas — e em especial,
impactam o ato de se
alimentar, todos os dias,
mecanicamente.**

Em seus estudos, o filósofo do século XVII, Spinoza, nos lembra da importância do afeto nas relações e atitudes. **O substantivo "afeto", do verbo "afetar", tem a ver com o modo como somos impactados e tocados por determinada situação ou pessoa – seja positiva ou negativamente.** Portanto, algo que marque profundamente nossa alma não necessariamente desperta as melhores sensações ou lembranças.

Porém, para perceber esses afetos, é necessário olhar para si com muito mais frequência. **Refletir sobre si é o que dá sentido ao afeto/efeito.** A tarefa não é simples, uma vez que a racionalização costuma ficar acima dos afetos e a tendência é assimilar rapidamente os conteúdos da forma mais prática em vez de respeitar o processo psíquico desses impactos.

É a razão acima do entendimento ou das emoções. Esse embate de razão *versus* emoção se dá nas pequenas coisas do cotidiano: em situações ordinárias e não nas grandes questões da vida, como quando paramos para um café em algum momento do dia.

Racionalmente, é preciso fazer as coisas da maneira mais prática, rápida e objetiva possível. Comer, inclusive.

Buscamos nos alimentar rapidamente, de modo prático e preferencialmente com vitaminas listadas no rótulo dos produtos. Optamos por alimentos que apenas nos dão energia para o dia ou que preenchem nosso buraco emocional causado pelo estresse da manhã de trabalho.

O ato de comer, uma necessidade básica da qual você não pode fugir, vem sendo feito com mais agilidade e menos consciência. Buscamos um prazer funcional que possa ser realizado enquanto executamos outras atividades, como mexer no celular, ver TV ou debater sobre o trabalho em uma mesa de restaurante lotado, num dia de semana, no horário de almoço.

Todos esses fatos narrados acima produzem uma espécie de realização mecânica da alimentação que repercute inconscientemente nos sujeitos.

É possível pensar em afeto como aquilo que nos move, mexe conosco e toca nossa alma.

Nas palavras de Luís Mauro Sá Martino, em "Uma visão sobre o Afeto a partir de Spinoza", o escritor e professor aponta que não há uma fórmula para garantir o que irá afetar um ser humano. A resposta individual estaria em um espaço de subjetividade em que somente ele – o ser humano – poderia dizer o que está acontecendo:

E cada vez menos hoje em dia temos tempo e espaço para falar desse eu. Falamos de nós o tempo todo nas redes sociais, expressamos nossas opiniões, falamos o que pensamos. Mas ao mesmo tempo temos pouquíssimo tempo para refletir sobre o que de verdade nos afeta. O que mexe comigo, o que me faz bem, o que me faz mal? Será que tudo aquilo que me é ofertado, será que tudo que me é colocado à minha frente para consumo (e isso não se refere infelizmente a bens, mas ao consumo de pessoas, de relações, ao consumo de afetos) mexe positivamente com o meu afeto? Ou será que de alguma maneira até os meus afetos estão condicionados por uma racionalidade muito grande que às vezes não consigo perceber? (MARTINO, 2017)

A capacidade de afetar e ser afetado – e refletir sobre essas ações – se aprimora e toma cada vez mais forma neste espaço íntimo, impactando nossas escolhas.

No que tange à alimentação, lembramos com "afeto" muito mais da comida e cozinha de quem nos precede do que da cozinha atual, pois estamos sempre deslocados do presente e, constantemente, não conseguimos criar novas referências e novos afetos positivos com a comida.

Há sempre um saudosismo da comida da avó ou da mãe entre *babyboomers*, por exemplo, uma vez que, culturalmente, essa foi uma geração que se dedicou exclusivamente à carreira, dados os impactos culturais da época adulta, com pouco tempo para dividir a atenção com a vida familiar e desenvolver a própria cozinha.

Babyboomers: geração nascida entre 1946 (após a Segunda Guerra) e 1964. Conhecidos por crescerem com grande foco na carreira e valorização da família.

A saudade, na verdade, é de dias menos estressantes, acessada pelo sabor que não se reproduz nas cozinhas atuais. E isso vem sendo uma crescente ao analisarmos as gerações posteriores até os dias de hoje, em especial os *millennials* (considerando também, obviamente, o contexto cultural, econômico e demográfico dessas gerações).

Millenials: também conhecidos como geração Y, nascidos entre 1980 e 1996. Desenvolveu-se entre grandes avanços tecnológicos, prosperidade econômica e cultura diversa.

Cozinha afetiva

e os hábitos alimentares na sociedade do cansaço

sendo hoje bombardeados por estímulos diversos – em especial com o advento da internet desde a década de 1990 –, e vivenciando de modo implacável a "sociedade do cansaço" – como define o momento atual o filósofo coreano radicado na Alemanha, Byung-Chul Han –, vemos os hábitos alimentares e qualquer relação com a comida oscilar entre o excesso pela compensação emocional e o puro ato de se alimentar apenas como forma de combustível.

Não se presta atenção ao que se come. A memória a se construir é bombardeada por sabores plásticos e franqueados, reforçados pelo estresse da vida moderna, que tira cada vez mais a atenção do ser humano de si. Pouco sabemos ou nos interessa sobre o que comemos ou de onde vem o que ingerimos.

Vemos aqui, então, a memória afetada e não a afetiva, uma vez que **a memória afetiva nasce da reflexão daquele impacto, ao contrário da afetada, que simplesmente se registra sem nenhum questionamento**.

Dado o cenário cultural e econômico, que incentiva e reforça o consumo sem análise – desde bens materiais até comida –, como se permitir afetar positivamente pelas experiências da culinária, seja na rua, seja em casa?

Não despropositadamente surgiram nas últimas décadas os movimentos de retomada à consciência alimentar com foco em saúde, distribuição de alimentos, resgate de receitas, direito à alimentação saudável e – nosso ponto de maior interesse – retorno às cozinhas para preparo dos próprios alimentos.

Movimentos como Slow Food®, tratado de Soberania Alimentar, Mapas de Feiras Orgânicas e outros que deram impulso a iniciativas menores em todo o Brasil, além de engrossarem o coro para a luta de iniciativas políticas, como o Programa Nacional de Fortalecimento da Agricultura Familiar (Pronaf) e o Programa de Aquisição de Alimentos (PAA), voltados principalmente para agricultores familiares, e o Programa Nacional de Alimentação Escolar (PNAE). Lembrando que a alimentação é um direito social fundamental estabelecido no art. 6º da Constituição Federal do Brasil, portanto, o Estado tem o papel de criar esforços para proteger e valorizar a produção nacional e local de alimentos.

O retorno à cozinha é incentivado por muitas vertentes da gastronomia, porém, cansados não cozinhamos. Com nossas agendas cada vez mais atoladas de trabalho ou outros estímulos, e as facilidades dos *fast-foods*, restaurantes e empreendimentos gastronômicos prontos para nos oferecer opções pré-fabricadas para o consumo, afastamo-nos do que é aqui considerado o epicentro da formação do caráter de um indivíduo como ser social: a cozinha de casa.

Não afirmamos com isso a inexistência de ótimas opções de alimentos prontos. Muito pelo contrário: na contramão dos *fast-foods* e do movimento dos industrializados e ultraprocessados, tivemos um *boom* de excelentes profissionais e projetos relevantes de forno e fogão para oferecer uma alternativa melhor de alimentação a esse público "não cozinhante" que precisa, literalmente, ser alimentado.

Assim, as memórias afetivas culinárias começaram a ser preenchidas por marcas que se sobrepuseram aos cozinheiros humanos. A paciência da espera deu lugar ao imediatismo e à rapidez da entrega pronta. O paladar foi treinado para reconhecer e apreciar o artificial. A preferência foi direcionada ao fácil, pronto, empacotado e – em muitos casos – não saudável.

A desconexão dos sujeitos com a cozinha foi tamanha que em dado momento esses seres afetivos e afetuosos encontraram em pequenos restaurantes, que têm como identidade principal a "comida caseira", o sabor que o ímpeto primitivo alimentar buscava inconscientemente. **Buscamos essa conexão com o alimento, uma vez que este já nos foi ofertado e recebido com tamanha fome de comida e afago lá na infância.**

Essa conexão está na mamadeira oferecida, no leite do peito, nas sensações primeiras dos alimentos e no receber esse alimento vindo de outrem. Ou seja, de um modo ou de outro, procuramos replicar essa sensação ao longo da vida: a segurança de receber a comida e de saciar a fome.Voltar para a cozinha seria assumir mais uma responsabilidade no dia já tomado por afazeres.

Construir uma nova habilidade dentro do imediatismo atual é mais um motivo de ansiedade e peso.

E como cozinhar refere-se a etapas, tempo do fogo, passo a passo, cronômetro e quase nenhum atalho, cozinhar para si e para a família parece, nessa dinâmica, um baita tempo desperdiçado, uma vez que há opções prontas e outras coisas a fazer antes de se alimentar.

O freio da pandemia 2020

Esta mesma sociedade cansada, ansiosa, "produtiva" e condenada a continuar produzindo, ainda que dopada, foi impactada pela pandemia iniciada no ano de 2020, que forçou uma mudança drástica, em especial no hábito de se alimentar.

O ser social viu-se obrigado a parar tudo e revisitar o cômodo do fogão, preparar refeições regulares, escolher ingredientes e, em meio ao medo e a mais ansiedade, a olhar para si. A vida acontecia agora dentro de casa: dormir, acordar, trabalhar, se alimentar.

**Aqui resgatamos
o conceito do afeto
nos dois aspectos da
palavra — positivo e negativo.
Forçados a cozinhar,
analisar, pensar no contexto
da comida e na
necessidade alimentar,
tivemos um resgate
do afetivo.**

Esse indivíduo foi afetado pela pandemia e convidado pelo espaço íntimo de subjetividade a refletir sobre o afeto, o efeito e o impacto de produzir a própria refeição, tal como já dito por Luís Mauro Sá Martino.

Tal atitude levou a sociedade cansada a encontrar um novo ânimo em meio ao caos. As reflexões trazidas à tona por meio do cozinhar, a consciência de ser uma parcela social com poder para comprar o alimento, descobrir e aprimorar uma nova habilidade levaram esse ser cansado a expandir a consciência sobre quebra de padrões, a reconhecer seus privilégios e a olhar para o próximo.

Pelo ponto de vista filosófico e social, foi possível verificar um grande passo de retomada para a cozinha afetiva, não somente do sujeito para si ou com seu caderno de receitas na busca de um aprimoramento egoico culinário, mas como um ponto de empatia, que abarca a divisão dos bens essenciais, entre eles a comida.

Ante o exposto, pode-se dizer que a ampliação do olhar para as necessidades básicas compartilhadas funcionou e funciona como uma força capaz de movimentar iniciativas sociais e pessoais no campo da alimentação.

As emoções e os alimentos

Nossa relação com os alimentos

e seu impacto em nosso estado emocional muda ao longo da vida e faz parte de um delicado sistema de equilíbrio em constante manutenção: **o que comemos afeta a forma como nos sentimos, assim como o que sentimos afeta nossa maneira de comer.**

Somos seres afetivos e comedores. Comemos pelos mais variados motivos e associamos a comida a uma infinidade de ritos, necessidades e atos sociais. Logo, emoção e sabor estão intimamente conectados e, dentro da Culinária Afetiva, serão pontos-chave para registros importantes que envolvem gostos e situações.

Mais que por necessidades biológicas, o ser humano se alimenta para ter prazer, para honrar um rito espiritual, para se conectar à família, para reforçar uma identidade ou cultura. **O ato de comer mostra o nosso ser e estar no mundo.**

Da mesma maneira que gatilhos emocionais podem nos levar a hábitos alimentares negativos, o estímulo positivo pode criar hábitos – na mesa e na vida – muito mais saudáveis (emocional e fisicamente falando) ao longo da vida. Isso porque o ser humano não se alimenta somente de comida, mas também de beleza e percepções sensoriais.

Ressaltamos um ponto bastante importante a ser considerado com relação à alimentação e às emoções: os tristes desequilíbrios e distúrbios alimentares, cujas necessidades podem se manifestar como punição ou compensação.

É preciso evidenciar que a culinária afetiva nada tem a ver ou compactua com tratamentos compensatórios de excesso ou restrição. Tais casos merecem toda a atenção de profissionais capacitados para cada situação e caso. A cozinha afetiva pode funcionar como apoio, como acolhimento, uma espécie de "abraço", mas nunca como modo de suprir a fome física sem o suporte de um profissional para ajudar a suprir a fome emocional.

Sensações e a busca por sabor, sabor e a busca por sensações

Os doces da infância normalmente remetem a emoções e sensações de segurança, de alegria, de não preocupações e até mesmo de recompensa.

Buscar um chocolate para alegrar o dia, um café como estimulante ou um chá como calmante faz parte de um comportamento que mistura o conhecimento da ação de certos alimentos em nosso organismo e seu impacto emocional – acionando uma busca inconsciente imediata de sensações.

Um exemplo é o aumento da ingestão de comidas gordurosas e calóricas em um momento de estresse ou de alimentos doces que pareçam melhorar o humor como forma de apaziguar um momento triste.

A escritora americana Deanna Minich, especialista em nutrição e medicina funcional, lidera o projeto *Food Spirit*, que traz *insights* sobre alimentação e estados/anseios emocionais a partir de escolhas de determinados tipos de comida. Entre suas obras, há uma pesquisa sobre os estados emocionais por trás de hábitos gastronômicos que, segundo ela, ao serem identificados, podem ser ressignificados e trabalhados para a busca da saúde completa (mental, física, espiritual e emocional).

Para Minich, a busca por comidas apimentadas, por exemplo, reflete o desejo de intensidade e emoção, uma busca por aventuras e pelo novo. Já a escolha recorrente por doces pode indicar a busca constante por alegrias perdidas ou não vividas. Colocar sal o tempo todo em comidas já prontas e temperadas mostra um comportamento ansioso, segundo a especialista. Alimentos crocantes? Mostra pessoas que precisam pôr para fora frustrações e raiva. Já os cafés e estimulantes, como refrigerantes e outras bebidas, seriam vistos como escolhas de pessoas que buscam vitalidade emocional, com necessidade de aprimorar o intelecto.

É possível verificar que a pesquisa e observação da especialista dialoga com os antigos e respeitados conceitos da Medicina Ayurvédica, que prescreve o equilíbrio dos *doshas* através do *rasa* (“*sabor*”, em português) e o princípio dos

Medicina Ayurvédica: conhecimento médico indiano que trata corpo, mente e espírito a partir da constituição elemental do ser.

Doshas: perfil biológico/elemental do indivíduo, de acordo com o Ayurveda.

sabores da Medicina Tradicional Chinesa – ligados a órgãos e vísceras, que, por sua vez, se relacionam com os estados emocionais do ser humano.

Medicina Tradicional Chinesa: medicina milenar que relaciona o organismo humano com o ambiente e os ciclos da natureza.

O conceito *MoodFood* – ou Alimentos do Humor – tem impactado pessoas a identificarem ou tornarem mais evidentes as buscas dos estímulos a partir dos alimentos.

Sabemos que isso não é algo novo. É mais um artifício para falar sobre a relação entre a comida e o estado de humor das pessoas, algo que já havia sido identificado por Hipócrates (460 a.C.), considerado o pai da medicina e autor da famosa e amplamente conhecida frase: "Que seu remédio seja seu alimento, e que seu alimento seja seu remédio".

De lá até os dias de hoje, várias pesquisas e discussões foram desenvolvidas abordando e associando alimentação e saúde (física ou emocional), possibilitando uma base de dados ampla para pesquisa e atuação dos mais diversos profissionais.

Tudo isso reforça o entendimento de que somos muito mais impactados pelos alimentos do que imaginamos, e compreendemos que nossos hábitos à mesa dizem muito sobre nossos estados emocionais, sem que para tal precisemos elaborar isso formalmente com palavras. Basta uma escolha de ingrediente ou receita para revelarmos um pouco de nossa emoção quando o assunto é culinária afetiva.

Comfort Food e *Soul Food* são o mesmo que Cozinha Afetiva?

Sim. Ambos os conceitos encaixam-se na Cozinha ou Culinária Afetiva, por motivos diferentes e cada um com suas características latentes.

Comfort Food, como o próprio nome diz, é a "comida do conforto" e está intimamente ligada à comida caseira. Ao contrário do que trazemos sobre o conceito da Cozinha Afetiva, sobre os impactos serem negativos ou positivos, **a comida do conforto nasce somente do que é positivo: do conforto, da nostalgia com nuances alegres, da infância feliz**.

Esse movimento, iniciado nos Estados Unidos em 1979, foi um importante propulsor dos movimentos de preservação da memória culinária, receitas e sabores que vinham sendo apagados dos menus e até das culturas locais e nacionais. Porém, o conceito foi mais incorporado à culinária de papel por volta da década de 1990, incluindo-se aí fortemente ao "*marketing* da nostalgia".

Segundo artigo da *Revista Contextos da Alimentação* (Senac), publicado pela professora da Universidade Anhembi Morumbi, Maria Henriqueta Sperandio Garcia Gimenes-Minasse, a expansão da industrialização alimentar e a globalização de ingredientes e de hábitos alimentares fomentaram o aparecimento de discursos e movimentos vinculados a uma nostalgia alimentar que, a partir de diferentes premissas, pregam a valorização de uma alimentação mais natural:

> *Neste contexto, as bases de reivindicação extrapolam as questões relacionadas à sustentabilidade ambiental e ao equilíbrio nutricional, e avançam rumo aos aspectos culturais e emocionais relacionados ao ato alimentar. É neste quadro que o termo* comfort food *foi incorporado ao vocabulário gastronômico. (GIMENEZ-MINASSE, 2015, p. 93)*

A autora ainda ressalta em seu artigo, citando Nina Horta, a importância da "comida da alma":

> *Comida da alma é aquela que consola, que escorre garganta abaixo quase sem precisar ser mastigada, na hora da dor, de depressão, de tristeza pequena. Não é, com certeza, um leitão à pururuca, nem um menu nouvelle seguido à risca. Dá segurança, enche o estômago, conforta a alma, lembra a infância e o costume. (HORTA, 1996, p. 15-16 apud GIMENEZ-MINASSE, 2015, p. 96)*

Comfort Food

Constantemente, a culinária afetiva é, com razão, usada para descrever a *Comfort Food*, mas é preciso destacar que esta possui características especiais e – reforço – sempre positivas. Por ser um termo com base na nostalgia alimentar e criado no começo do século XXI, há alguns pontos que precisam ser considerados para se identificar o termo com precisão.

A primeira característica de suas receitas ou lembranças é que há sempre o uso de ingredientes naturais. Consequentemente, a segunda é a exigência de maior dedicação ao preparo, o que torna a memória e o sabor ainda mais especiais.

Constantemente, por conta dos papéis de gênero culturalmente estabelecidos e marcados a cada geração, a figura feminina é, com frequência, associada ao ambiente da cozinha, gerando lembranças afetivas: a avó que passava horas preparando o pão sovado, a tia que se dedicava a cortar os limões um a um ou a acompanhar o molho por um dia inteiro até chegar ao sabor perfeito do doce na calda de açúcar, e assim por diante.

As receitas da *Comfort Food* nunca são rápidas e geralmente são quentes, por conta da associação com carinho, acolhimento e segurança. Quase sempre são calóricas e um pouco caóticas no prato, já que há um *mix* de ingredientes em algumas receitas por conta dos aproveitamentos e misturas que pareceriam absurdas num prato montado na cozinha contemporânea.

Sopa de legumes, canja, ragu, polenta, sopa de mandioca, pão caseiro, caçarolas italianas, carne assada desfiada no purê de mandioquinha são bons exemplos dessa mistura afetiva.

Comidas frias, como saladas e gelatinas, embora tenham seu lugar na cozinha afetiva, não são necessariamente consideradas *Comfort Foods*. Contudo, é preciso reforçar que a vivência de cada um com o alimento e a receita é que faz a memória do alimento confortável. **E isso, embora sejam criadas pequenas regras de identificação, é profundamente pessoal e intransferível**.

Vale ressaltar uma característica forte desse conceito: a *Comfort Food* está sempre ligada ao simples e ao descomplicado, sem frescuras, acessível, cheio de amor e que, de preferência, termine com um belo sorriso depois da refeição.

Soul Food

Soul Food, por sua vez, tem raízes mais complexas e engloba todos os conceitos da culinária afetiva e da

Comfort Food, mas com teor social latente e muito importante.

Com valores histórico e cultural profundos, dada sua história pregressa, o conceito traz reflexões e se instaura como um importante capítulo na cultura da alimentação e seu impacto social e econômico, retratando em especial a escravidão norte-americana.

Soul Food tem suas raízes na escravidão, quando os afro-americanos foram obrigados a aceitar qualquer alimento que estivesse disponível para eles. Ainda segundo Lynn, "nos cem anos seguintes, após a abolição da escravidão, muitos afro-americanos continuaram a usar ingredientes mais baratos. A comida da alma não é inteiramente definida por uma divisão racial. Historicamente, não houve muita diferença entre os alimentos consumidos pelos pobres sulistas negros e pobres sulistas brancos". A autora cita John T. Edge, diretor da Southern Foodways Alliance, a respeito deste assunto:

> *As diferenças entre os alimentos dos sulistas negros e brancos são sutis. Mais pimenta do capsicum, uma mão mais pesada com sal e pimenta e um maior uso de carne de miudezas são características comparativas do cozimento da alma* versus *cozinha do país. (LYNN, 2020, s/p)*

Esta definição faz parte da tradicional culinária sulista dos Estados Unidos. A expressão *Soul Food* deriva de *Soul Music*, e designa a alimentação dos negros norte-americanos. Com a ascensão dos direitos civis e movimentos nacionalistas negros, muitos afro-americanos reivindicaram sua parte do legado cultural norte-americano. Sendo assim, o termo *Soul Food* também serviu para descrever as receitas que os afro-americanos cozinhavam por gerações, parte rica e intransferível desse legado.

Acredita-se que o termo possa ter sido usado pela primeira vez em 1962 pelo ativista de direitos civis e poeta americano Amiri Baraka. No mesmo ano, a cozinheira que posteriormente se tornaria mais conhecida com a "Rainha do *Soul Food*", Sylvia Woods, abriu seu famoso restaurante no bairro do Harlem, Sylvia's, e, naquela década, os restaurantes de "comida da alma", com os livros de receitas, tornaram-se mais populares.

Em seu livro *Soul Food: The Surprising Story of American Cuisine*, one plate at time, o historiador e pesquisador gastronômico americano Adrian Miller amplia o horizonte sobre a raiz da *soul food*. Ele explica que esta é uma entre as cozinhas afro-americanas tradicionais que combinam as tradições culinárias da África Ocidental, da Europa Ocidental e das Américas. Tudo o que se conhece como *soul food* ao longo do território norte-americano foi espalhado pelos migrantes negros do sul do país. Cada prato abordado no livro situa o leitor em um contexto social, um ingrediente, uma origem e um sabor em um momento histórico importante na construção da identidade cultural preta nos Estados Unidos. São quase quatro séculos de fusão de cozinhas que resultaram numa complexa identidade social, cultural e política que, não fossem os historiadores pretos empenhados em resgatar e validar suas origens, teria sido esquecida e seus créditos teriam sido tirados da criação desta cozinha. Aliás, quando aprofundamos os estudos em *soul food*, nota-se que não são raros os casos em que cozinheiras e cozinheiros brancos tenham ficado com o crédito das habilidades de um cozinheiro negro ou uma cozinheira negra.

Um exemplo disso é a quase esquecida história do exímio cozinheiro Hércules (para citar somente uma história), chef escravizado do presidente George Washington, em sua casa na Filadélfia, Pensilvânia. Dizem que a comida na casa do presidente era celebrada e citada em cartas e diários, conforme conta o próprio Miller na série documental para o Netflix *Da África aos EUA: Uma jornada gastronômica*. Sua comida era tão boa que ele ganhava dinheiro vendendo as sobras dos banquetes. Mas, normalmente, quem ficava com os créditos eram as senhoras da casa. Neste caso, Martha Washington.

A escritora gastronômica americana Andrea Lynn, em um trecho de seu texto "What Defines Authentic Soul Food?", de 2020, evidencia a diferença entre *Soul Food* real e as traduções superficiais que atribuem à expressão significados delicados e românticos ao se referirem às receitas. Essa confusão pode ser vista muitas vezes em artigos que misturam a expressão "comida da alma" para falar sobre afetividade na cozinha com receitas deste movimento, fazendo uma confusão entre movimentos históricos e conceitos.

Portanto, conclui-se que a *Soul Food* tem um peso histórico-social constitutivo, à medida que a *Comfort Food* e a Culinária Afetiva não necessariamente.

Culinária caipira e Cozinha Afetiva

Observando os movimentos afetivos e de *Comfort Food* pelo mundo, chegamos ao regionalismo brasileiro com uma fortíssima veia afetiva quando o assunto é a gastronomia das regiões da *Terra Brasilis*. Nesse sentido, a culinária caipira – e, em especial para mim, a da região paulista – forma um traço importante da identidade cultural culinária do país, incluindo o aspecto afetivo e confortável do alimento, além do valor histórico social.

Quando se fala em cozinha caipira, automaticamente somos remetidos à ruralidade dos pratos.

E como boa parte das famílias tem ascendência rural, ainda que vivam nos grandes centros, se houver qualquer traço de conexão com essas refeições, a culinária afetiva se fará presente.

Em *A culinária caipira da Paulistânia*, de 2018, obra do sociólogo da alimentação Carlos Alberto Dória e do chef Marcelo Corrêa Bastos, a redescoberta da cozinha caipira se deu por meio de um extenso trabalho de pesquisa para traçar um panorama dessa culinária presente no interior dos estados de São Paulo, Minas Gerais, Goiás, Paraná, Mato Grosso, Mato Grosso do Sul, Rio de Janeiro, Santa Catarina e Espírito Santo. Esse recorte geográfico constitui o que entenderemos aqui por Paulistânia, e representa o berço da culinária caipira.

Daniel Coelho de Oliveira, professor de Sociologia, esmiúça a obra levantando a questão sobre a quem "pertenceria" o termo caipira, uma vez que já se estabeleceram inúmeras discussões no meio acadêmico sobre o assunto. Em seu artigo "A culinária caipira da Paulistânia – A disputa pelo gosto da cozinha caipira", *de 2019*, Oliveira detalha sobre o que o conceito de Paulistânia representa: o espaço e o tempo de formação do que entendemos hoje por culinária caipira (segundo os autores, com certa exatidão). Ao definir a especificidade culinária da Paulistânia, reforçam a ideia de que esta foi resultado do percurso que vai dos primórdios do século XVI, na capitania de São Vicente, e chega até o início do século XIX.

Assim como a *Soul Food* e a *Comfort Food*, a cozinha caipira brasileira garante um caminho de histórias de fortalecimento do regionalismo, períodos de escassez, receitas e sabores formados a partir do contexto socioeconômico da época no Brasil.

A variedade produtiva do sítio, por exemplo, é um dos focos da obra de Dória e Bastos. Eles destacam o trato do milho e do feijão, que junto com a abóbora formavam o tripé vegetal da cozinha caipira:

> *Acrescentam-se a esses elementos básicos o arroz, a mandioca e a banha de porco. Este último ocupou importante papel na economia brasileira, em 1895, por exemplo, chegou a ser o principal produto importado dos Estados Unidos, mesmo com intensas campanhas de desqualificação para uso culinário e questionamentos sanitários. Além da banha, a manteiga perdeu espaço, por justificativas semelhantes. (OLIVEIRA, 2019, p. 401)*

Interessante levar em consideração que a culinária caipira hoje ocupa lugar de destaque e é tema de estudo, mas suas características quase que desapareceram por completo, uma vez que a sociedade rural é constantemente apontada como atrasada. Historicamente, o Brasil viveu um processo cultural de americanização dos grandes centros, e a chegada da comida moderna, como os processados, os industrializados, e os novos hábitos de consumo e produtos trazidos pelos imigrantes europeus mais abastados reforçaram as mudanças. Nesse processo ficou evidente o distanciamento entre a comida do povo e a comida da elite (que se afrancesava gradativamente), da cidade e da região rural.

Esta passagem permite a compreensão de como a cozinha e os ingredientes são as lentes pelas quais identificamos os hábitos sociais, a separação cultural dos sabores e as memórias (positivas e negativas) da construção dessa identidade regional que afetam nosso modo de se relacionar com o alimento.

Concluindo com afeto

A ideia de sistematizar algumas áreas do conhecimento para lançar luz à expressão Culinária ou Cozinha Afetiva foi para que esta não se resumisse somente à noção de *Comfort Food*, embora muito de sua essência tenda a esse conceito.

Dialogar, informar e esmiuçar um pouco de cada área fez parte de um cozer literário, cultural e filosófico, cujo resultado é o entendimento do termo que busca ampliar nossa percepção sobre o assunto.

Começamos definindo a terminologia e iniciamos uma jornada sintética para explicar os motivos pelos quais entendemos a Cozinha ou Culinária Afetiva como tudo que **impacta, grava, fortalece, marca, registra por meio do sabor e do momento**.

A literatura, nesse contexto, fortaleceu e exemplificou o que foi exposto sobre os afetos na culinária, uma vez que, pela voz de cada escritor, o conceito ganhou e continua a ganhar vida, seja como protagonista ou pano de fundo para descrever os registros de uma época, hábitos, amores e dores de um período.

O olhar para o *Mood Food* dos escritores associado ao conhecimento social histórico sobre o momento relatado nos fez entender o uso de subterfúgios culinários capazes de expressar desde a exposição dos sujeitos e reflexões pessoais até críticas ou afetos voltados ao contexto social e cultural em destaque.

Já pelas lentes da Filosofia, dialogamos de forma transversal com o conceito de Afeto para buscar seus efeitos, maturados de modo absolutamente pessoal num espaço de tempo subjetivo em que o ser, a partir das experiências ordinárias, consegue perceber o quanto é de fato afetado consciente ou inconscientemente pelos estímulos externos.

Entendemos, por exemplo, como um sabor pode ter impacto negativo e, ainda assim, promover reflexões íntimas que nos colocam em outro patamar nas relações subjetivas e sociais. O sabor amargo de um remédio tomado muitas vezes na infância não desperta as melhores lembranças, mas tem seu valor quando surte resultados e, ainda, quando se associa à imagem do "adulto afetuosamente poderoso" incumbido de dar a medicação amarga para resgatar a saúde e salvar-lhe a vida. Promovemos aqui uma reflexão sobre os afetos/efeitos pelo prisma do sabor.

Caminhamos e esbarramos em uma realidade cotidiana cuja força do imediatismo vira mais um empecilho para as reflexões sobre os afetos gerados pelo sabor: uma sociedade cansada e sobrecarregada que apenas se alimenta para ter energia de consumir mais, produzir mais e comprar tudo pronto.

Nesse contexto, nos deparamos com outra questão, que é o desaparecimento da vontade de aprender a preparar o próprio alimento e um saudosismo quase deprimido do alimento do passado, vindo dos avós e dos pais. Um sentimento clássico de quem está completamente esgotado e vê no passado um tempo melhor: de menos estresse e mais alegria de vida.

Aportamos nas emoções e sua relação com o alimento. Ainda que por uma vertente quase que de sabedoria popular, concluímos o quanto o ser atual relega a alimentação e entra em um *looping* que busca saciar a fome emocional confundindo-a com a fome do corpo.

Isso porque somos comedores e afetivos: mais do que nutrientes, "comemos" a beleza, o sensorial, o carinho do preparo, o visual, a intenção do preparo. Junto ao prato, absorvemos o contexto de quem o preparou – ainda que em nosso imaginário e expectativa.

Entendemos a busca por "comidas caseiras", pelo sabor do conforto e da recompensa pela via da culinária afetiva, e, a partir daí, compreendemos o despertar de um movimento de ida para as próprias cozinhas e a retomada desse "exercício" que promove reflexões e análises sobre si – suas escolhas de compras, seus sentimentos e resgate da saúde (emocional e física).

Ao falarmos sobre a *Comfort Food* e a *Soul Food*, conseguimos elucidar alguns detalhes sobre as diferenças entre os termos e seu entrelaçamento com a expressão Culinária ou Cozinha Afetiva. Enquanto *Comfort Food* tem raízes no conforto afetivo, no resgate de memórias, receitas, nostalgia positivas e de lembrança do carinho das receitas de família, a *Soul Food* tem raízes mais complexas e históricas, com foco na culinária sulista e na cultura afro-americana pós-escravidão.

O próprio termo foi cunhado dentro de um movimento negro importante na década de 1960, que, além de direitos civis, reivindicou sua parte do legado cultural – incluindo esse saber culinário –, já que *Soul Food* trazia características e ingredientes da culinária dos negros da época.

Houve um período recente de romantização e distorção da *Soul Food* – em especial com uma certa apropriação branca do termo –, reforçando que a "comida com alma" sulista era símbolo de mesa farta, aconchego e tempos felizes. Porém, é preciso respeitar e não banalizar o termo, considerando suas raízes doloridas, pois derivam do período da escravidão. Muitas das receitas e ingredientes obviamente eram apenas cozinhadas pelos negros ainda empregados em condições análogas à escravidão para os patrões nesse período pós-abolicionista. Os ingredientes mais nobres iam para os patrões e a mesa dos empregados era marcada pela escassez e por ingredientes bem menos nobres do que um frango frito suculento preparado com esmero na casa dos senhores.

Portanto, muito respeito e cuidado ao trazer o termo *Soul Food* à discussão sem conhecer tais detalhes ou minimamente o contexto histórico e geográfico do termo. Mais que um conceito culinário afetivo e de efeito (reflexivo e impactante), é um símbolo de resistência e luta por direitos civis em meio à segregação racial norte-americana.

Analisando os hábitos, agora a partir da ótica nacional, usamos a comida caipira brasileira para ilustrar e exemplificar o registro afetivo/histórico local. Pelo recorte geográfico da Paulistânia, usamos o caminho dos tropeiros e bandeirantes na formação dessa culinária cujo alcance territorial vai além de Minas Gerais. A culinária caipira brasileira — como toda culinária regional pelo mundo — pode ser considerada afetiva tanto por seu valor de construção quanto por seu impacto na formação da identidade regional (além, é claro, dos aspectos da comida dos nossos ascendentes).

Nesse contexto, chamamos a atenção para um ponto importante: o de que a culinária dita caipira quase é deixada de lado e muito pode ter se perdido ao longo das décadas sobre sua essência, uma vez que, na formação da capitania de São Paulo, as capitais em constante processo de modernização eram altamente influenciadas pela Europa e, posteriormente, pelos Estados Unidos, com relação aos hábitos, dentre eles a prevalência de comida industrial e facilidades gastronômicas, considerando tudo que vinha da ruralidade como atrasado e provinciano.

Um trabalho de resgate regional faz-se necessário, uma vez que estamos vendo comunidades cada vez menores abandonando a identidade culinária por conta das facilidades ou modismos vindos das capitais. A maioria é impactada, obviamente, também pela falta de opções de uma alimentação mais saudável, de políticas de incentivo a negócios agrofamiliares, sendo possível estender a questão e seu impacto aos planos da cultura, educação, distribuição socioeconômica e afins.

Dessa maneira, entendemos, neste pequeno ensaio, que Culinária ou Cozinha Afetiva vai além da preparação de receitas ou da visão nostálgica da cozinha familiar ou cultural. Ela se aprofunda em reflexões sobre o seu ser e estar no mundo, embora também possa ser saboreada filosoficamente a partir de uma xícara de chá ou de um bolo feito por si mesmo numa tarde qualquer.

Ela também é fonte de empatia social — pois carrega em si a necessidade de saciar uma fome física ou a busca por um gosto que já foi vivenciado, partilhado social e historicamente, deixando evidente que nossas necessidades são as mesmas e, por isso, temos que essa fome (alimentar, emocional) é a forma de empatia mais efetiva para nos movimentarmos pelo outro.

A partir do entendimento da Cozinha ou Culinária Afetiva, podemos colocar em prática – ou ao menos somos aparelhados a fazê-lo – um trabalho de autocuidado, de autorresponsabilidade pelas escolhas do que compramos, preparamos e ingerimos, gestão das emoções, perpetuação de sabores e emoções a partir da singeleza do cozimento do próprio prato. É nele que se inicia a responsabilidade coletiva e apoio a iniciativas de combate à fome e políticas públicas ou iniciativas privadas sobre alimentação.

Lembrar-se das receitas ou preparar algo em sua própria cozinha e chamar o conceito de "afetivo" é um privilégio – dada a realidade sobre a volta do Brasil ao Mapa da Fome em 2018 –, assim, a Culinária Afetiva também tem papel fundamental no incentivo e na construção da proteção social de quem não tem o que pôr na panela.

Em 2020, o IBGE anunciou que em 2018 o Brasil retornou ao Mapa da Fome – lista de países com mais de 5% da população ingerindo menos calorias do que o recomendável, segundo análise de Francisco Menezes, pesquisador do Instituto Brasileiro de Análises Sociais e Econômicas (Ibase) e ex-presidente do Conselho Nacional de Segurança Alimentar e Nutricional. A posição foi agravada pela pandemia de 2020.

Portanto, ampliar esse conceito, dando a ele o romantismo e a alegria cabidos, mas também instaurando a seriedade devida, é o que faz da Culinária ou Cozinha Afetiva motivo de ação e não somente de passividade cultural ou um mero "gênero literário".

Ao nos fazermos entender o todo, esperamos contribuir e inspirar com um pouco de amabilidade, afeto ativo e responsabilidade sobre algo que vai nos acompanhar pelo resto de nossas vidas, em todos os aspectos da existência, material e imaterial: o ato, o privilégio e o direito de nos alimentarmos.

Referências *bibliográficas*

BARREIRO, M. F.; CARVALHO, A. B.; FURLAN, M. R. **A arte e o afeto na inclusão escolar**: potência e o pensamento não representativo. Rio de Janeiro: Childhood & Philosophy, 2018. p. 517-534.

BARZINI, S. A. **A cozinha das escritoras** – sabores, memórias e receitas de 10 grandes escritoras. São Paulo: Benvirá, 2013.

BEAUVOIR, S. **O segundo sexo**: fatos e mitos. Rio de Janeiro: Nova Fronteira, 1980.

BEAUVOIR, S. **O segundo sexo**: a experiência vivida. Rio de Janeiro: Nova Fronteira,1980.

CORALINA, C. **Poemas dos becos de goiás e estórias mais**. São Paulo: Global, 2015.

DA ÁFRICA aos EUA: Uma jornada gastronômica. Produção de Netflix (temporada 1, 4 episódios), 2021.

DÓRIA, C. A.; BASTOS, M. C. **A culinária caipira da Paulistânia**. São Paulo: Três Estrelas, 2018.

FERNANDES, M. S.; GOMES, C. Afeto na filosofia de Espinosa: aportes para potencialização dos corpos na escola. **Revista Sul-Americana de Filosofia e Educação (RESAFE)**, p. 119-135, 2017.

FUNDAÇÃO CARGIL. **Comfort food**: comida para o corpo e para a alma. Disponível em: https://alimentacaoemfoco.org.br/comfort-food-comida-para-o-corpo-e-para-alma. Acesso em: 22 abr. 2020.

GIMENES-MINASSE, M. H. S. G. Comfort food: sobre conceitos e principais características. **Contextos da Alimentação – Revista de Comportamento, Cultura e Sociedade**, p. 92-102, 2016.

HARRIS, J. B. **High on the Hog**: A Culinary Journey from Africa to America. Nova York: Bloomsbury USA, 2012.

LIMA, V. L. K. **Soberania alimentar e o meio ambiente**. Disponível em: https://www.politize.com.br/soberania-alimentar-e-meio-ambiente. Acesso em: 27 mar. 2021.

LYNN, A. **What Defines Authentic Soul Food?** Disponível em: https://www.thespruceeats.com/soul-food-history-and-definition-101709. Acesso em: 24 mar. 2021.

MARTINO, L. M. S. **O que é afeto? Uma visão a partir de Spinoza**. Casa do Saber. Youtube, 21 set. 2017. Disponível em: https://www.youtube.com/watch?v=0OCrnnV518s&ab_channel=CasadoSaber. Acesso em: 31 mar. 2021.

MILLER, A. **Soul Food**: The Surprising Story of American Cuisine, One Plate at Time. Carolina do Norte: University of North Carolina Press, 2013.

MINTZ, S. W. Comida e antropologia – Uma breve revisão. **Revista Brasileira de Ciências Sociais**, v. 16,

n. 47. Disponível em: https://www.scielo.br/pdf/rbcsoc/v16n47/7718.pdf. Acesso em: 12 abr. 2020.

OLIVEIRA, D. C. de. **A culinária caipira da Paulistânia** – a disputa pelo gosto da cozinha caipira. Araraquara: Estudos Sociológicos, 2019.

ORIGEM DA PALAVRA. **Afeto e afetar**. Disponível em: https://origemdapalavra.com.br/pergunta/origem-da-palavra-708/. Acessado em: 10 abr. 2021.

STOWE, H. B.; AMIRUDDIN, A.; FERDINAL, A. K. **The Slaves' Foods**: A Gastronomy Analysis in – Uncle Tom's Cabin by Harriet Beecher Stowe. Disponível em: https://www.researchgate.net/publication/330875175_the_slaves'_foods_a_gastronomy_analysis_in_uncle_tom's_cabin_by_harriet_beecher_stowe. Acesso em: 25 mar. 2020.

Esta obra foi composta em Goudy Old Style 13 pt e
impressa em papel Pólen natural 80 g/m^2 pela gráfica Meta.